La naissance de Zeus

Olivia

with lots of love
from Granny xx

Trelawne 2nd June 2016

Premières lectures

* Je commence à lire tout seul.
Une vraie intrigue, en peu de mots, pour accompagner
les balbutiements en lecture.

** Je lis tout seul.
Une intrigue découpée en chapitres pour pouvoir faire
des pauses dans un texte plus long.

*** Je suis fier de lire.
De vrais petits romans, nourris de vocabulaire et de
structures langagières plus élaborées.

Hélène Kérillis a plongé dans la mythologie
grecque dès l'enfance et ne cesse de la revisiter. Elle
aime aussi l'art et les voyages, la lecture et l'écriture,
qui donnent de si belles couleurs à la vie

Grégoire Vallancien dessine depuis toujours,
il aime beaucoup ça. Il aime aussi Paris et la
Méditerranée, les romans policiers et la mythologie.
Dessiner des histoires et surtout... en lire à ses
enfants !

Responsable de la collection :
Anne-Sophie Dreyfus
Direction artistique, création graphique
et réalisation : DOUBLE, Paris
© Hatier, 2014, Paris
ISBN : 978-2-218-97983-5
ISSN : 2100-2843

Hatier s'engage pour
l'environnement en réduisant
l'empreinte carbone de ses livres.
Celle de cet exemplaire est de :
200 g éq. CO_2
Rendez-vous sur
www.hatier-durable.fr

PAPIER À BASE DE
FIBRES CERTIFIÉES

Achevé d'imprimer par Clerc à Saint-Amand-Montrond - France
Dépôt légal : n°97983-5/01 - Août 2014

MA **PREMIÈRE**
MYTHOLOGIE

La naissance
de Zeus

adapté par Hélène Kérillis
illustré par Grégoire Vallancien

HATIER
POCHE

Cronos,
le dieu du Temps

Rhéa,
la mère de Zeus

Amalthée,
la chèvre
qui élève Zeus

Zeus,
le fils de Cronos
et Rhéa

5

CHAPITRE 1
Un dieu cruel

Un bébé va naître chez Cronos, le roi
des dieux : c'est le sixième enfant
du roi et de la reine Rhéa. Au palais,
on devrait se réjouir. Mais c'est tout
le contraire. Cronos pointe un doigt
menaçant sur le ventre de Rhéa en
hurlant :
– Il finira comme les autres ! J'y veillerai
en personne !

Quand Cronos a pris le pouvoir, on lui a prédit un malheur :
– Un de tes enfants te renversera et montera sur ton trône!
Depuis, le monstrueux Cronos dévore tous ses nouveau-nés. Il est le dieu du Temps, il règne sur un monde violent, barbare et sans lois.

Rhéa a le cœur brisé en pensant aux cinq bébés que Cronos a déjà dévorés.
– Celui-là ne mourra pas! se promet-elle. Je le sauverai!
Mais comment? Cronos surveille tout et tout le monde. Il sème la terreur dans le palais.

11

Cependant, le jour de la naissance,
il ne peut pas empêcher les servantes
d'apporter à Rhéa une corbeille remplie
de linge pour le bébé.

Une corbeille beaucoup plus lourde que d'habitude.
Or, Cronos ne remarque pas ce détail...

Dès qu'elle est seule dans sa chambre avec ses servantes, Rhéa chuchote :
– Vous avez ce que je vous ai demandé ?
Les servantes retirent les langes de la corbeille. Au fond, il y a une grosse pierre. Elles ont à peine le temps de la cacher sous le lit de Rhéa : Cronos ouvre la porte à coup de pied.
– Alors, ça vient ce bébé ?
– Si vous restez là, vous retardez tout !

Cronos sort en grommelant des injures.
Il va et vient comme une bête sauvage,
frappant les murs de ses poings.
Soudain, il s'arrête. Il tend l'oreille. Ça y
est! Il a entendu le premier cri du bébé!
Il se précipite dans la chambre de Rhéa.

CHAPITRE 2
La ruse de Rhéa

Rhéa est allongée sur le lit, épuisée par la naissance.
Une servante tient dans ses bras le nouveau-né enveloppé dans ses langes.

Cronos se jette sur elle, lui arrache le bébé, ouvre son gosier de géant et engloutit tout, enfant et langes, d'un seul coup.

– Comme les autres! hurle-t-il.

Roi des dieux il est, roi des dieux il restera! Il s'en va, tout content de lui.

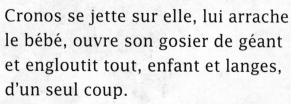

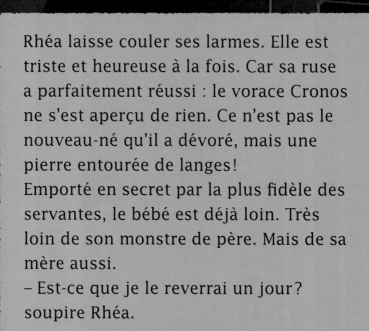

Rhéa laisse couler ses larmes. Elle est triste et heureuse à la fois. Car sa ruse a parfaitement réussi : le vorace Cronos ne s'est aperçu de rien. Ce n'est pas le nouveau-né qu'il a dévoré, mais une pierre entourée de langes!

Emporté en secret par la plus fidèle des servantes, le bébé est déjà loin. Très loin de son monstre de père. Mais de sa mère aussi.

– Est-ce que je le reverrai un jour? soupire Rhéa.

22

La servante n'a pas pris un instant de repos. Elle s'est embarquée pour une île lointaine. Là, se trouve une grotte où le bébé sera en sécurité.

Un groupe de jeunes filles accueille les
deux arrivants. Elles se penchent sur
les langes et découvrent le visage du
nouveau-né :
– C'est un garçon ou une fille ?
– Quel est son nom ?
– C'est un garçon, et il s'appelle Zeus !

25

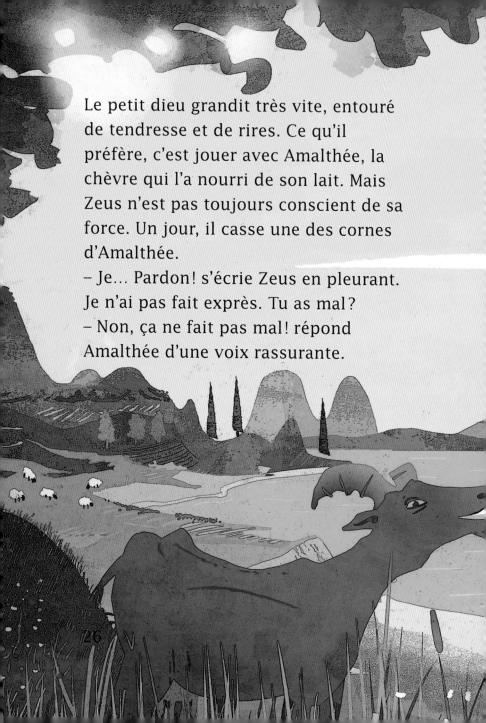

Le petit dieu grandit très vite, entouré
de tendresse et de rires. Ce qu'il
préfère, c'est jouer avec Amalthée, la
chèvre qui l'a nourri de son lait. Mais
Zeus n'est pas toujours conscient de sa
force. Un jour, il casse une des cornes
d'Amalthée.

– Je... Pardon! s'écrie Zeus en pleurant.
Je n'ai pas fait exprès. Tu as mal?

– Non, ça ne fait pas mal! répond
Amalthée d'une voix rassurante.

Et pour consoler l'enfant dieu, elle fait surgir de la corne des fruits, des fleurs, de l'or... Désormais, celui qui possédera la corne d'abondance ne manquera jamais de rien.

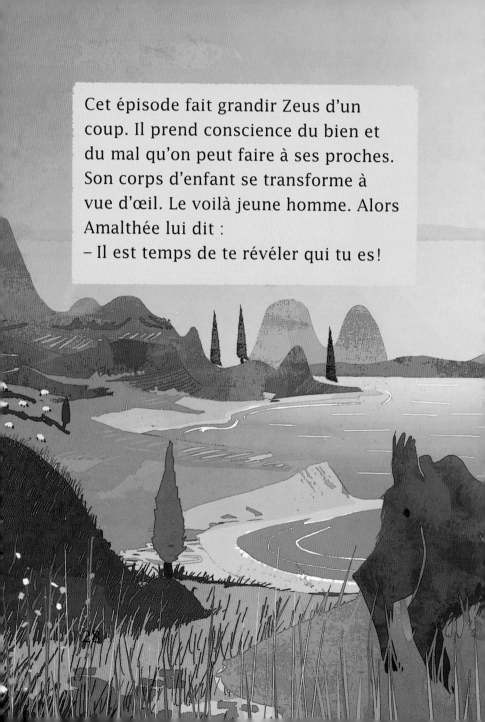

Cet épisode fait grandir Zeus d'un coup. Il prend conscience du bien et du mal qu'on peut faire à ses proches. Son corps d'enfant se transforme à vue d'œil. Le voilà jeune homme. Alors Amalthée lui dit :
– Il est temps de te révéler qui tu es !

CHAPITRE 3
La ruse de Zeus

Zeus est révolté quand il apprend qui est son père : un dieu qui règne sur un monde violent, barbare et sans lois.
– Cronos a dévoré mes frères et sœurs! Il a voulu ma mort! Je pars l'affronter!

Amalthée a du mal à le retenir. Elle fait appel à Métis, la déesse de la Prudence, pour donner ses conseils à Zeus.

– Tu n'as aucune chance si tu attaques directement Cronos, explique Métis. Il a pour alliés les Titans, des géants encore plus cruels que lui.

– Alors que dois-je faire?

– Il faut ruser. Présente-toi pour faire le service du vin au palais. Cronos aime les festins, ça marchera.

– Et après?

Métis tend à Zeus une petite fiole :

– Tu verseras ceci dans sa boisson. Ensuite, à toi d'agir!

Zeus fait ses adieux à Amalthée et s'embarque pour rejoindre le palais de Cronos.

On conduit le jeune dieu auprès de Rhéa, car c'est elle qui choisit les serviteurs. Zeus est tout ému de voir sa mère pour la première fois. Comme elle a l'air triste! Il s'incline devant elle et lui murmure son nom. Alors la joie éclate dans son regard :

– Mon fils! murmure-t-elle.

Ce dernier-né qu'elle a tant pleuré, son enfant est là, devant elle! Mais il ne faut pas se trahir! Rhéa se retient de toutes ses forces pour ne pas prendre Zeus dans ses bras.

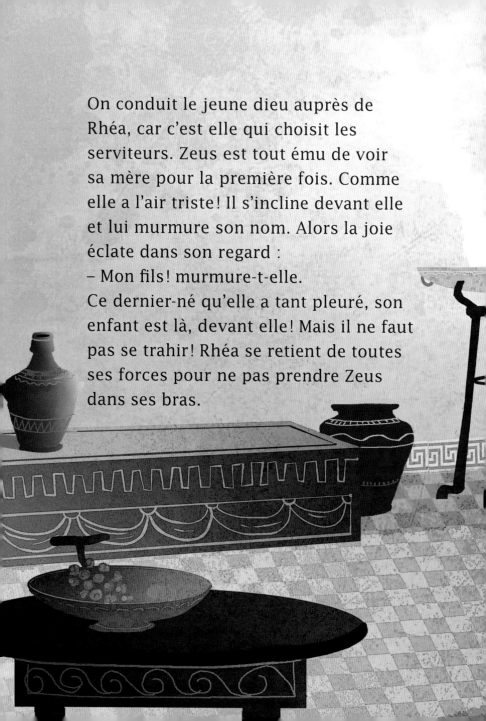

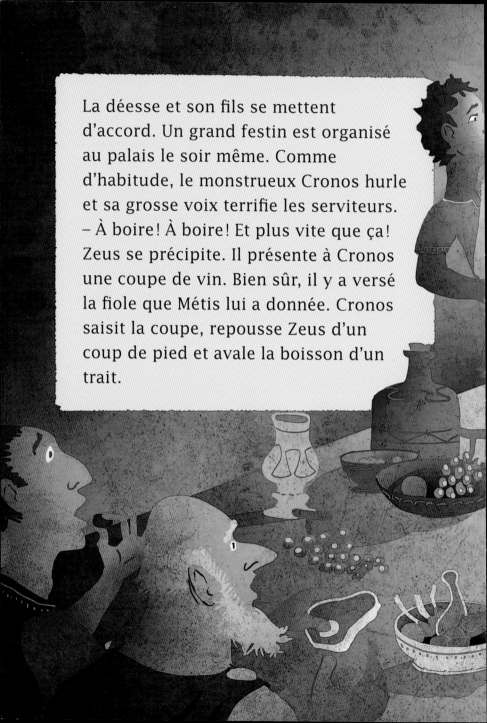

La déesse et son fils se mettent
d'accord. Un grand festin est organisé
au palais le soir même. Comme
d'habitude, le monstrueux Cronos hurle
et sa grosse voix terrifie les serviteurs.
– À boire! À boire! Et plus vite que ça!
Zeus se précipite. Il présente à Cronos
une coupe de vin. Bien sûr, il y a versé
la fiole que Métis lui a donnée. Cronos
saisit la coupe, repousse Zeus d'un
coup de pied et avale la boisson d'un
trait.

CHAPITRE 4
Deuxième naissance

Dès qu'il a bu, Cronos titube. Il se met
à trembler. Son corps se plie en deux.
Soudain, son gosier de géant s'ouvre
et Cronos se met à vomir ! Tout ce que
le dieu du Temps a dévoré réapparaît :
d'abord la grosse pierre entourée de
langes qu'il a engloutie en croyant
dévorer son dernier-né !

Puis ce sont les cinq frères et sœurs
de Zeus qui sortent tout adultes de la
gorge de leur père : Hestia, Poséidon,
Déméter, Hadès, Héra. Leur mère Rhéa
les reconnaît tous :
– Mes enfants! Mes chers enfants!
Vous voilà nés une seconde fois!

Cronos, lui, hurle de rage : il sait
qu'un de ces enfants va le détrôner.
– La guerre est déclarée! crie-t-il.
Il appelle à l'aide ses frères les Titans,
les plus sauvages des créatures.

Mais les enfants de Rhéa ont pour alliés
les Cyclopes. Ils font à Zeus cadeau
d'une arme terrible :
– Voici la foudre du ciel!

La bataille s'engage. Les Titans
détruisent tout sur leur passage.
La terre est secouée d'explosions,
de tremblements, de volcans en
éruption. Soudain Cronos surgit de
la fumée, prêt à se jeter sur son fils.
Alors, Zeus brandit la foudre et lance
un éclair mortel sur son père.

La prédiction s'est donc réalisée :
Zeus monte sur le trône de Cronos.
– Et nous alors ? s'écrient ses frères
et ses sœurs.
Zeus ne veut pas d'un monde violent,
barbare et sans lois. Il partage le
pouvoir : Hadès régnera sur le monde
des morts, Poséidon sur la mer,
ses sœurs Hestia, Déméter et Héra
régneront dans le ciel avec lui.
Plus jamais le dieu du Temps ne pourra
tout dévorer. Car un nouveau monde
est né : organisé, civilisé et juste.

HATIER
POCHE